CW00661826

www.tredition.de

Heinrich Zwinge

Das Dritte Programm läuft nicht mehr!

Erklärungen zur schlechten Lage der Gesellschaft

www.tredition.de

© 2020 Heinrich Zwinge
Umschlag, Illustration: Grafik und Illustration Hendrik Kranenberg,
Umschlag Florian Zwinge

Verlag und Druck:
tredition GmbH, Halenreie 40-44, 22359 Hamburg

ISBN
Paperback: 978-3-347-10112-8
Hardcover: 978-3-347-10113-5
e-Book: 978-3-347-10114-2

Das Werk, einschließlich seiner Teile, ist urheberrechtlich geschützt.
Jede Verwertung ist ohne Zustimmung des Verlages und des Autors
unzulässig. Dies gilt insbesondere für die elektronische oder sonstige
Vervielfältigung, Übersetzung, Verbreitung und öffentliche Zugänglich-
machung.

Exposeè

Das Buch trägt den Titel "Das Dritte Programm"! und stellt Erklärungshypothesen zum schlechten Zustand der Menschheit vor.

Wie kam es dazu, dass ein heute 84-jähriger Schlossermeister aus Deutschland ein Buch über ein solches Thema schreibt? Dazu die folgende Begebenheit:

Meine Frau und ich kamen Anfang Dezember 1998 von einer Weinnachtfeier nach Hause und in die Geburtstagsfeier meiner Schwiegertochter hinein. Es war natürlich schon nach Mitternacht und es waren auch noch mehrere Gäste da. Da wir alle Alkohol getrunken hatten, war die Unterhaltung sehr lebhaft. Meine Schwiegertochter erzählte mir, dass sie im Laufe des Abends über das Erwachsensein geredet haben. Ich fragte Sie was dabei heraus gekommen wäre? Sie sagte, "Sie haben festgestellt, dass sie Alle nicht Erwachsen wären."

Ich war zu dieser Zeit schon Rentner und hatte zur Beobachtung ja Zeit. Meine Überlegungen waren, wenn man weiß, dass man nicht erwachsen geworden ist, sollte man versuchen erwachsen zu werden. Bei der Beobachtung musste ich feststellen, dass im Kopf eine Änderung oder Verbesserung offensichtlich nicht möglich ist.
In meinem Buch kann man nun erfahren, warum das so ist! Jedenfalls stelle ich verschiedenste Gedanken und Thesen dazu auf!

Der Grund dafür ist die Erziehung, hier müssen wir eingreifen, weil das Wort Erziehung falsch ist! Das Wort Erziehung hört sich schon nicht gut an. Die Kinder und die Jugend müssen betreut werden. Wenn dies nicht geändert wird, wird die Menschheit nie aus den Kinderschuhen herauskommen können.
In dem Buch stelle ich fest, dass die meisten Menschen vom Geist

her nicht erwachsen sind. Es gibt auf der ganzen Welt höchst wahrscheinlich nicht allzu viele, die das Glück gehabt haben im Kopf erwachsen zu werden. Wenn man sich intensiv mit dem Problem beschäftigt, kann man die Unterschiede sehr gut herausfinden. Es ist der 26. August 2018 und um Haaresbreite wäre mir ein wesentlicher Punkt der schlechten Lage der Gesellschaft abhandengekommen. Was könnte das sein?

Zu dem „nicht Erwachsenwerden" gehört noch dazu, dass Angstzustände und negatives Denken die schlechte Lage der Gesellschaft verstärken. Sehr viele Menschen sind damit belastet.

Wenn wir alle Länder der Erde betrachten und das sind ca. 200 Hundert, so werden wir feststellen, dass nur wenige Handvoll positiver Regierungen übrigbleiben. Was aber, wenn wir alle gesellschaftlichen Gruppen durchgehen. Wo fangen wir an? Richter, Religion, Lehrer, Polizei, Fernsehen, Zeitungen und schließlich auch die ganze Gesellschaft. Ein negativer Mensch versucht aus Vorsicht und Angst keine Fehler zu machen. Gehen wir davon aus, dass auch diese Menschen Fehler machen, dann schreiben sie die Fehler den anderen zu.

Oder aber, wenn sie oft Fehler machen, versuchen sie in jedem Fall, diese Fehler zu verbergen. Jetzt wissen wir auch, dass in den meisten Regierungen und deren Präsidenten solche Menschen sitzen, die dann für das Chaos verantwortlich sind. Daher können wir feststellen, dass fast die ganze Menschheit mit dem „Virus" Angst und negatives Denken befallen ist, deshalb wird es auf unserem Planeten menschlich nicht besser. Nun ist es nicht mehr sehr schwer sich vorzustellen wie die schlechte Lage der Gesellschaft entsteht oder verstärkt, wenn solche Politiker neue Gesetze machen oder Richter schlechte Urteile fällen. Und in allen anderen Bereichen ist es nicht besser, überall nur „negatives Denken und Handeln".

Man kann relativ einfach feststellen, wenn man eine kurze Zeit mit den Menschen zu tun hatte, ob sie negativ oder positiv eingestellt sind. In der Kindheit und Jugendzeit werden viele Grundsteine gelegt für das spätere Leben. Die Medien, aber hauptsächlich das Fernsehen, die die falschen Grundsteine bei Kindern und Jugendlichen verbreitet. Das Fernsehen sendet überwiegend bis zu 80 % negative Inhalte. Wie soll man da positives Denken entwickeln. Diese negative Einstellung wird von Menschen in den jungen Jahren wie vieles andere auch, im Verstand verankert. Negatives Denken oder Ängste einfach nur kritisieren, damit kann man nichts verbessern. Wenn man weiß, es gibt was zu verbessern und man macht es nicht, dann hat man der Menschheit keinen Dienst geleistet.

In der Wissenschaft und Wirtschaft wird jede Verbesserung in Angriff genommen, deshalb haben wir ein Leben, indem es fast an nichts fehlt und wir hundert Jahre alt werden können. Warum und weshalb ist der Mensch, der ein Gehirn hat, welches dem größten Rechner überlegen, aber dennoch nicht in der Lage ist, die Probleme die wir auf dieser Erde haben, zu lösen. Es ist aber anzunehmen, dass unser Gehirn in der Lage wäre, diese Probleme der Politik, der Religion und der Gerechtigkeit lösen zu können und damit alles was zur Verbesserung des Lebens notwendig wäre. Das betrifft vor allen Dingen die Menschen, die über andere Menschen Entscheidungen treffen, wie z. B. Politiker, Richter, und Journalisten. Dazu zählen auch Bänker und Lehrer und besonders alle Menschen, die mit der Religion zu tun haben.

Darauf folgt jetzt die Frage, „Wie kann man das ändern?"

Notwendig sind viele Menschen die erwachsen sind und positiv denken, aber „Wo sind die?" Die Medien hätten die Möglichkeit gehabt und haben es immer noch, vieles zu verbessern. Die Medien haben natürlich den größten Anteil an Verbreitungen von schlechten bzw. negativen Nachrichten. Fehler macht ja keiner, nur die anderen machen sie. Positive Nachrichten gibt es auch keine, und auch keinen, der sie bringen könnten.

Und schließlich „Wer will sie denn auch hören?"

Bei der Geburt erbt der Mensch drei Lebenslinien:

Erstens: Das Wachstum des Körpers

Zweitens: Lernen bis zum Tode

Drittens: Das Erwachsenwerden im
                Geiste und Verstand

Bevor wir uns mit den Einzelheiten der Menschen beschäftigen, sollten wir feststellen: was gibt es Gutes und Schlechtes über die Menschheit zu berichten?

Über das Gute in der heutigen Zeit lässt sich aus meiner Sicht feststellen, dass es immer weniger Menschen gibt, die das Gute als Grundlage in ihrem Leben praktizieren.

Wie wird man ein guter Mensch? Natürlich, wenn man in seinem ganzen Leben ein friedlicher, ehrlicher und angenehmer Mitmensch war.

Das Gegenteil vom Guten ist das Schlechte oder auch Böse, man kann auch sagen, der Gute ist ein Engel und der Böse der Teufel.

Der Teufel nimmt immer mehr Einfluss auf die Menschheit. Warum ist das so? Diese Frage wollen wir beantworten, indem wir den Menschen genauer betrachten und suchen, wo der Fehler versteckt ist.

Die drei Lebenslinien wollen wir im Einzelnen beschreiben:

Erstens: Das Wachstum des Körpers

Das Wachstum des menschlichen Körpers ist vorprogrammiert. Meine Beobachtung ist, dass im Normalfall der Körper bis zum 15. Lebensjahr wächst. Es kann aber auch Unterschiede geben, so dass die Einen schon mit zwölf und die Anderen erst mit achtzehn ausgewachsen sind. Mit zunehmenden Alter verändert sich das Aussehen eines Menschen.

Auf dieses Aussehen kann der Mensch auch selbst Einfluss nehmen. Von der Natur aus betrachtet, also nackt, sieht der Mensch in den meisten Fällen nicht sehr vorteilhaft aus. Deshalb stellt uns die Natur alles Mögliche zur Verfügung, um das Aussehen so zu gestalten, wie der Mensch es gerne möchte. Betrachtet man die heutige Kleidung des Menschen, könnte man zu der Erkenntnis kommen: „Schlechter geht es nicht!!" Ob beim Mann oder der Frau, das Aussehen lässt sich verbessern. Jedoch ist der gute Geschmack für das vorteilhafte Aussehen vielen Menschen verloren gegangen.

Diese Fotografie ist 88 Jahre alt. Es zeigt, was man anziehen muss, wenn man gut aussehen möchte. Dieses Ehepaar trägt gute Kleidung und obwohl sie so gut gekleidet sind, waren sie doch nur einfache Bauern. Wenn sich damals schon einfache Menschen so gut kleiden konnten, wieso dann nicht auch heute? Das Ansehen eines jeden Menschen würde in den einzelnen Lebensabschnitten wie Kindergarten, Schule, Ausbildung und Beruf wesentlicher besser werden.

Zweitens: Lernen bis zum Tode

Heinrich Zwinge: "Der Mensch lernt von der Geburt an bis zum Tod."

Wie gesagt, das Lernen fängt mit der Geburt an. Ein neugeborenes Kind braucht von Geburt an bis zum sechsten Lebensjahr seine Mutter und wenn es geht auch einen Vater. Es ist ein großer Irrtum, wie die meisten Eltern glauben, dass Kinder von selbst aufwachsen würden. Wie Kinder von Geburt an betreut werden können, zeigt uns die Tierwelt. Was kann ein Kind von Geburt an lernen? Bis zum sechsten Lebensjahr sollte die Mutter die Bezugsperson sein. Alles, was die Kinder in dieser Zeit speichern, dient als Grundlage für das ganze Leben. Dies wird heute leider während des Aufwachsens nicht mehr erreicht.

Vom sechsten Jahr an, ist die Ausgangslage genauso wie vorher, nur dass das Kind jetzt schreiben, rechnen, lesen und noch ein paar weitere Dinge lernt. Diese Aufgabe übernimmt die Schule, wobei auch die Eltern einen Teil dazu beitragen. Das kann bis zum 30. Lebensjahr gehen. Ein Teil der Jugendlichen macht dann auch eine Lehre/Ausbildung, oder ein Studium. Danach wird weitergelernt. Nicht nur im Beruf, sondern auch Zuhause.

Das Leben schenkt einem Aufgaben, die man bewältigen muss und aus denen man lernt. Beim Lernen bis zum Tode spielt auch die Intelligenz eine große Rolle. Zum Beispiel in der Wirtschaft, oder in der Abteilung für neue Erfindungen. Würde man die Intelligenz auch für das Zusammenleben benutzen, wäre das ein toller Fortschritt.

Drittens: Das Erwachsenwerden im Geiste und Verstand

Man kann davon ausgehen, dass in allen drei Lebenslinien Erbmaterial eine Rolle spielt. In der ersten Lebenslinie ist das sehr stark ausgeprägt und zwar in Bezug auf die Größe und das Aussehen des Menschen während der Wachstumsphase. Aber auch hier gibt es durch äußere Einflüsse Abweichungen. Man könnte meinen, dass die zweite und dritte Lebenslinie zusammengehören. Es gibt Menschen, die in ihrem Beruf sehr erfolgreich sind, aber im Geiste ein Jugendlicher oder Kind geblieben sind.

Die dritte Lebenslinie ist wohl die Wichtigste. Sie bestimmt das Zusammenleben auf unserer Erde. Nehmen wir die vier Herren, die auf dem Titelblatt des Buches zu sehen sind: Pabst Johannes Paul II., Konrad Adenauer, Nelson Mandela und Michail Gorbatschow.

Diese vier Herren haben Weltgeschichte geschrieben und durch sie haben heute viele Menschen ein besseres Leben. Jetzt stellen wir uns mal vor, dass nicht nur in der Politik oder der Religion, sondern alle Menschen, die über andere Menschen stehen, so handeln und leben würden, wie diese vier Herren. Man kann davon ausgehen, dass es unter den Menschen kaum, oder gar keine Konflikte geben würde. Da wir davon ausgehen können, dass sich der heutige Zustand noch längere Zeiten nicht ändern wird, kann man nur hoffen, dass die Nachfolger der heutigen Machthaber solche Menschen werden, die so handeln wie die vier Herren, so dass irgendwann auf der Welt Frieden herrscht.

Die drei Lebenslinien in drei Programmen: Wir haben festgestellt, dass die Entwicklung des Menschen aus drei Lebenslinien besteht. Um das leichter zu erläutern, geben wir den drei Lebenslinien eine Bezeichnung und machen daraus drei Programme.

Das Erste Programm ist das Wachstum von der Geburt bis zum Tod. Wir geben ihm die Bezeichnung Pr-1-Wa.

Das Zweite ist das Lernen, also Pr-2-Lr.

Das Dritte ist wohl das Schwierigste, nennen wir es Pr-3-Ge-Va, den Verstand.

Wenn man Programme hört, denkt man sofort an den Computer. Der Computer besteht hauptsächlich aus einem Speicher und einer Festplatte auf der Programme bearbeitet werden. Wir können ruhig sagen, dass der Mensch auch einen Speicher und eine Festplatte hat. Bei der Geburt sind beide leer. Der Speicher füllt sich von selbst. Die Programme für die Festplatte müssen von der Geburt an von jedem Individuum selbst erarbeitet werden. Seit einiger Zeit müssen die Kinder ihre Programme alleine erstellen. Die Eltern glauben, für diese Aufgabe brauchen Kinder keine Hilfe. Außerdem, auch wenn sie wollten, sie könnten Ihnen ohne Programme gar nicht helfen. Dieses Manko der Eltern ist der größte Fehler, den sie an ihre Kinder begehen. Die Folgen dieser Entwicklung sind in der ganzen Welt erkennbar. Im Prinzip ist es ganz einfach, man braucht sich nur die Natur ansehen und beobachten, wie die Tiere ihren Nachwuchs für die Zukunft fit machen.

Die drei Programme zusammengefasst:

Das Programm Pr-1-Wa ist dafür angelegt, groß zu werden. Spätestens nach achtzehn Jahren ist das Programm abgeschlossen. Das Programm Pr-2-Le ist, wie schon erwähnt wurde, bis zum Tod durchzuführen. Viele Menschen nutzen das, aber genauso viele hören sehr früh damit auf, was der Menschheit im Allgemeinen viele Nachteile einbringt. Das dritte Programm Pr-3-Ge-Va haben fast alle Menschen abgestellt. Im Rechner kann man abgestürzte oder nicht laufende Programme wieder in Betrieb setzen. Doch im Gehirn gibt es diese Funktion wohl nicht. Das führt dazu, dass die Menschen von ca. zwanzig Jahren an, vom Gefühl und ihrer Denkweise her, wie Kinder bzw. Jugendliche weiterleben. Bin ich ein Kind, denke ich wie ein Kind. Bin ich ein Jugendlicher, denke ich wie ein Jugendlicher. Und bin ich ein Erwachsener, so sollte ich wie ein Erwachsener denken, aber die meisten Menschen denken wie Kinder oder wie Jugendliche und das bedeutet, dass dritte Programm ist abgestellt.

Die Weiterentwicklung des Geistes und des Verstandes:

Um festzustellen, warum die jungen Menschen in jungen Jahren das Programm drei abstellen, müssen wir uns mit der Weiterentwicklung des Geistes und des Verstandes befassen. Fangen wir mit der Geburt bzw. mit der Zeugung eines Menschen an: Schon während der Schwangerschaft ist es das wichtigste, die richtige Einstellung der werdenden Mutter zu dem Ungeborenen herzustellen, um ein Kind mit bester Voraussetzung in die Welt zu setzen. Ist das Kind geboren, braucht es für mehrere Jahre jede Minute die Hilfe der Eltern, besonders der Mutter. Die Frau ist von der Natur aus für diese Aufgabe vorgesehen. Damit ist die Voraussetzung geschaffen, ein Erwachsener und auch ein guter Mensch zu werden. Was kann es schöneres geben, als neun Monate lang ein Lebewesen im Bauch zu fühlen und dann auf die Welt zu bringen.

Da fragt man sich, (warum es Frauen gibt die ihr Kind nicht haben wollen) Die meisten Frauen werden der Aufgabe, Kinder zu betreuen, nicht gerecht. Es ist die schönste und schwerste Aufgabe, die Familie erfolgreich zu versorgen. Diese Leistung müsste eigentlich in der Arbeitswelt an erster Stelle stehen und vorrangig behandelt werden. Auch den Müttern müsste man für danach, wenn die Kinder groß geworden sind, jede Hilfe gewähren. Die Kinder werden heute bzw. schon seit längerer Zeit, gar nicht mehr betreut. Das Ergebnis ist überall zu betrachten, die Schulhöfe sind Kriegsschauplätze und viele Jugendliche geraten auf die schiefe Bahn. Was sagt uns das? Kinderbetreuung muss an erster Stelle stehen, damit Programm drei bis ans Ende des Lebens genutzt wird.

Eine nächste Frage: Wer ist Gott?

Wir sagen einfach, dass das Universum Gott ist. Denn bis heute hat man vom Universum ca. vier bis fünf Prozent erforscht, von Gott auch nicht viel mehr... Bei den Menschen sind wir weiter, aber es gibt noch sehr viele Fragen. Wir Menschen leben auf einem Planeten, der Teil des Universums ist. Betrachten wir unsere Erde, so müssen wir auch hier feststellen, dass Vieles noch nicht erforscht ist. Die Vielfalt auf der Erde ist so groß wie die Tiere und Pflanzen, so dass man sich fragen muss, warum und weshalb? Das ganze System des Planeten Erde ist ein Wunder. Von diesem Zusammenspiel der Tiere und Pflanzen, also der Natur, könnten wir Menschen viel lernen. Gott hat gesagt: „Macht euch die Erde untertan". Die Menschheit hat das wohl nicht richtig verstanden und darum vieles verkehrt gemacht. Die Erde gehört auch zum Sonnensystem und ohne Sonne würde es uns gar nicht geben. Hätten wir Menschen uns von Anfang an (vor ca. 12 Millionen Jahren) auf Gott bzw. die Natur eingelassen, hätten wir heute so etwas, dass man das „Paradies auf Erden" nennt.

Kapitel 1 Eltern & die Familie

Die kleinste Zelle in unserer Gesellschaft ist die Familie. Wenn die Familie nicht funktioniert, hat das Zusammenleben unter den Menschen keine Zukunft. Die heutige Situation ist meist die: Die Familie, die wir bräuchten um wieder Verhältnisse herzustellen, damit die Gesellschaft wieder das sein könnte, was sie sein müsste, gibt es nicht.

Geheiratet wird fast gar nicht mehr, man lebt einfach so zusammen, wenn es nicht klappt, geht man wieder auseinander, ob da Kinder sind oder nicht, spielt oft keine Rolle. Warum funktioniert das Zusammenleben nicht mehr?

Die Männer, man müsste Ihnen eigentlich einen anderen Namen geben, gibt es eigentlich nicht mehr. Man kann sagen, die meisten Männer werden immer fraulicher und ein Teil von ihnen ist gesellschaftlich nicht zu gebrauchen.

Bei den Frauen ist das so wie bei den Männern, bloß umgekehrt: Sie werden immer männlicher. In der Öffentlichkeit ist das gut zu beobachten, Frauen boxen, spielen Fußball, sind Polizisten und Soldaten. In der Politik ist es jedoch besser, wenn die Frauen das Ruder übernehmen. Früher und auch noch heute haben die Frauen, hinter den Männern, verborgen Politik gemacht. Das ist dann viel schlechter und auch gefährlicher.

So kann man auch verstehen das in einer Ehe, wo die Frau das Kommando hat, das auf Dauer nicht gut geht. Nach einiger Zeit kann dies die Familie kaputt machen. Die Gleichberechtigung, die bis heute nur für die Frauen und auch nur in der Arbeitswelt gefordert wird, müsste auch für den Mann gelten und das überall. Hätten wir in der Familie die Gleichberechtigung, dann kann man davon ausgehen, dass es den Kindern viel besser geht.

Mann und Frau können ein Zusammenleben jedoch oft nicht mehr gewährleisten. Männer nehmen immer mehr Eigenschaften und auch das Aussehen der Frauen an. Viele Männer lassen sich deshalb einen Bart wachsen, um sich selbst noch daran zu erinnern, dass sie Männer sind. Das Ergebnis ist gleich null.

Die Frauen streben in allen Bereichen das Leben eines Mannes an. Von der Natur ist das nicht vorgesehen, deshalb passen Männer und Frauen nicht mehr zusammen. Das Ergebnis sind Kinder, die nicht oder sehr schlecht betreut werden und deshalb im späteren Leben sehr viele Probleme haben. Das lesen wir heute in der Zeitung und sehen es im Fernsehen. Es hilft nur eins: „Das dritte Programm muss angestellt sein"!

Kapitel 1a Kinder - Betreuung

Das Wesentliche besteht darin, dass viele Mütter dieser Aufgabe nicht gewachsen sind, weil sie vom Geiste her selbst noch Kinder sind. Um dieser Aufgabe gerecht zu werden, müssten die Mädchen bzw. jungen Frauen in Seminaren dazu ausgebildet werden. Das müsste dann der Staat übernehmen. Das wäre auch bezahlbar, wenn man nicht das ganze Geld in Kinderhorte, Kindergärten und Ganztagsschulen steckt.

Das Ziel, „Die Kinder der Mutter fern zu halten, nur damit sie Geld verdienen kann", hat fatale Folgen für die Entwicklung der Kinder. Würde man den Müttern die Betreuung der Kinder bezahlen, wie jeden anderen Beruf auch, wäre das für den Staat viel billiger und das Ergebnis wäre viel besser. Man überlässt heute die Kinder lieber Anderen also Fremden, weil es zu lästig ist und anderseits, weil das Geldverdienen wichtiger geworden ist. Wir können in der Natur tausende von Tierarten betrachten, wie gut sie ihren Nachwuchs auf die Zukunft vorbereiten. Deshalb ist in der Natur noch alles im Gleichgewicht, es sei denn wir Menschen mischen uns ein, dann geht es auch der Tierwelt schlechter.

„Mutter" sein ist der schönste und wenn es richtig gemacht wird, auch der erfolgreichste und bestimmt auch der schwierigste Beruf unserer Gesellschaft.

Wir gehen davon aus, dass bei der Geburt jedes Kind mit einer „Festplatte" und einem „Speicher" auf die Welt kommt. Der Speicher wird voraussichtlich das ganze Leben Daten speichern und sortieren. Es soll auch Menschen geben, die diese Daten ihr ganzes Leben lang abrufen können. Dennoch ist das meistens die Ausnahme. Die meisten Menschen können sich nur an bestimmte Ereignisse und Fakten erinnern, die sie besonders betroffen oder berührt haben. Die Festplatte benötigt Programme, um richtig zu

funktionieren. Diese Programme entstehen bei der „Betreuung".
Wächst ein Kind nun ohne eine richtige Betreuung auf, so erhält
das Kind auch keine Programme und muss diese selbst erlernen.

Kapitel 1 B Die Rolle der Frau

Es wäre auf jeden Fall viel besser, wenn die Mutter und auch der Vater die Betreuung der eigenen Kinder übernimmt. Dieser Begriff (Betreuung) sollte als richtiger Beruf gelten und in der Volkshochschule oder wo auch immer als Ausbildung angeboten werden. Ich gehe davon aus, dass die Frauen gerne Kinder hätten und diese auch gerne Betreuen würden.

Vor dem zweiten Weltkrieg, hatten die Frauen fast jedes Jahr eine Geburt. Das könnten am Ende zehn und mehr Kinder sein. Durch die Kriegszeit waren viele Männer fern von zu Hause, also gingen die Geburten zurück und nach dem Krieg fehlten viele Männer, weil sehr viele gefallen waren. Weil die Männer, die nach dem zweiten Weltkrieg aus der Gefangenschaft kamen, heirateten und eine Familie gründeten, gab es 1960 die geburtenstärksten Jahre. In dieser Zeit wurde durch Bücher und Zeitschriften bekannt, dass die Frauen bis zu zwei Drittel im Monat unfruchtbar waren, was bis dahin wenige Frauen wussten, so dass dadurch die Anzahl der Geburten von früher zehn, auf eins bis drei zurückgingen. Durch Einführung der Pille ging die Geburtenzahl so weit zurück, dass unsere Bevölkerung abnimmt.

Wie müsste oder sollte die Stellung der Frau in der Gesellschaft sein? Nehmen wir die Natur zu Hilfe. Die Tiere und sogar die Pflanzen haben die Aufgabe von Geburt an für die Zukunft das Leben zu bewältigen. Bei den Tieren und Pflanzen ist also die Fortpflanzung und das Weiterleben von der Geburt vorgegeben. Der Mensch ist wegen seines freien Willens in der Entwicklung unabhängig. Man könnte meinen die Menschen leben glücklich und in Freiheit - aber das Gegenteil ist die Wahrheit. Für die meisten jungen Mädchen steht heute zuerst „Geld verdienen und Karriere machen" im Vordergrund. Am Lebensplan „Eine Familie und Kinder zu bekommen", daran denkt in diesem Alter keiner.

Vor ca. fünfzig Jahren hörte man oft, „wie schon wieder in Umständen". Heute wird eine Frau in Umständen in der Gesellschaft sehr geachtet.

Seit ein paar Jahren steigt auch die Geburtenzahl wieder. Ein viertel Jahr vor der Geburt bis zu dem Zeitpunkt, „wenn die Kinder sagen ich komme alleine zurecht" müsste die Frau finanziell so abgesichert sein, als wenn sie den ganzen Tag arbeiten geht. Zuerst das eigene Kind selbst betreuen und dabei helfen „erwachsen zu werden". Man sollte es mal so betrachten: im Beruf egal in welchem, gibt es immer erst eine Ausbildung, die kürzeste vielleicht drei Jahre und es kann auch bis zehn Jahre dauern. Bei Kindern kann es auch fünfzehn Jahre werden. Für diese Aufgabe müsste man auch eine Lehre machen. Gehen wir davon aus, dass die Frau nach einem Kind im Alter von vierzig Jahren und nach zwei Kindern im Altern von fünfundvierzig und nach drei mit fünfzig wieder ihre eigene Entwicklung verfolgen kann. Die Gesellschaft bzw. die Wirtschaft sollte und müsste, diesen Frauen dann dabei helfen, Geld zu verdienen und auch eine Karriere zu starten.

Kapitel 2 Die Politiker

Politiker sind Menschen, die sich um das Wohl der Bevölkerung kümmern wollen und sollen. Wie wird man Politiker? Das Einfachste ist, man tritt einer Partei bei und versucht dort durch gutes Auftreten und schlaue Reden weiterzukommen, bis hin zum Bundeskanzler oder auch Kanzlerin. In unserem Staat sind die meisten Volksvertreter Akademiker. Doch die wenigsten von ihnen haben Politik studiert. Theoretisch muss man auch nicht studiert haben, um Politiker zu werden. Jeder hat die Chance, Politiker zu werden. Die Politiker haben auch den Auftrag, die Demokratie zu bewahren, zu schützen und zu verteidigen. Die Demokratie ist in England vor ca. 150 Jahren eingeführt worden. Seitdem hat sich an der Demokratie nichts geändert. Sie wurde aber in vielen Ländern, fast auf der ganzen Erde übernommen. Wir sollten mal versuchen etwas an der Demokratie zu ändern.

Beispielsweise sollten die gewählten Volksvertreter unabhängige Menschen sein. Also unabhängig und losgelöst von Verbänden, Konzernen oder Firmen. Umso eine Änderung durchzuführen, müsste man Menschen haben, die über ihren eigenen Schatten springen können und nicht nur an sich denken, sondern an die kommenden Generationen. Diese Lösung wäre wohl die richtige Demokratie.

Es gab und es gibt auch heute noch einzelne Politiker, die den Verstand und auch den Überblick haben, um das Richtige zu entscheiden. Hier eine Zwischeneinlage: Russland hätte vielleicht nach 1990 mit dem Präsidenten Gorbatschow die beste Voraussetzung gehabt eine Vorzeigenation zu werden, aber einer allein (der dennoch ganz Europa verändert hat, konnte nur scheitern).

Heute wird Russland von den größten Kapitalisten beherrscht. Wir müssen noch mal auf die vier Herren, die vorne auf dem Titel abgelichtet sind, näher eingehen. Das sind drei Herren, die Politiker waren und einer, der durch seinen starken Glauben vieles verändert hat. Diese Vier haben Europa völlig zum Besseren verändert. Solche Menschen sollten in allen Regierungen sitzen. Das sollte der Normalzustand werden.

Nach dem zweiten Weltkrieg haben ein paar Menschen die richtigen Weichen gestellt, daher ist auch bis heute noch Frieden in Europa. Es gibt ein Sprichwort, viele Köche verderben den Brei. In Europa haben wir 27 Regierungen und es werden noch mehr, hoffen wir, dass es besser wird. Hätten alle Regierungschefs das dritte Programm eingeschaltet, dann bräuchten wir nicht hoffen. Dann wären alle Mitbürger mit Stolz Europäer. Es liegt noch ein langer und schwieriger Weg vor uns. Aber man darf die Hoffnung nicht aufgeben, vielleicht wird es mal ein stolzes Europa geben.

Kapitel 2 A Unser Globus und die Politiker

In Kapitel 2 "Die Politiker!" haben wir nur festgestellt wie man, Politiker werden kann. Die augenblickliche Lage auf unserer Erde ist einfach katastrophal und wer ist dafür verantwortlich? Die Politiker. An erster Stelle ist festzustellen, die Diktatoren, auch die, die vom Volk gewählt wurden, reißen die Macht an sich und halten sich daran fest. Diese Leute zetteln Kriege bzw. Bürgerkriege an, unterdrücken das eigene Volk, was dann großes Leid ertragen muss und dadurch Millionen Flüchtlinge unterwegs sind.

Es ist schon unglaublich, dass nach dem zweiten Weltkrieg, in dem über 20 Millionen Menschen sterben mussten, im Anschluss daran in vielen anderen Ländern Menschen an die Macht kamen, deren Denkweise nicht weiter entwickelt war, wie die von Kindern oder von Jugendlichen. Das Ergebnis ist nach 70 Jahren leider immer noch mit zu erleben. Heute gibt es immer noch oder auch schon wieder solche Menschen an der Macht, wodurch viele Menschen sterben.

Die gewählten Politiker schaffen es nicht in allen Ländern auf der Erde normale Verhältnisse zu schaffen. Wir müssen feststellen die Politiker, die die Macht haben, haben das dritte Programm nicht am Laufen und denken heute noch immer wie Kinder oder Jugendliche, das heißt es bleibt wie es ist. Nach dieser Feststellung kann man eindeutig und überzeugend sagen, es gibt heute keine Menschen in Sicht, die das zum Guten ändern könnten. Auch hier müssen wir uns wiederholen, mit der richtigen Betreuung der Kinder kann alles nur besser werden.

Kapitel 3 Wirtschaft (Börse)

Die Wirtschaft wird im Wesentlichen aus Managern und Bankern beherrscht. Im Augenblick (Stand 09.03.2008) ist die Lage kaum zu beschreiben. Es stinkt bis zum Himmel. Der Mammon hat sie im Griff, die Moral ist im Eimer. Moralisch und menschlich sind wir durch die Geldgier am tiefsten Punkt unserer Menschheit angelangt. Die Geldinstitute müssten alle Führungskräfte auswechseln und durch bessere Kaufleute ersetzen, aber wo gibt es die? Was müssten diese Leute beherzigen, die das Geld anderer verwalten?

Auf jeden Fall sollten sie das dritte Programm am Laufen haben! Mit einem gesunden Verstand lässt sich so etwas bewältigen. Im Jahr 2008 und auch noch ein Jahr später stecken wir in einer Wirtschaftskrise. Heute sechs Jahre später sollte man glauben, die Manager hätten daraus gelernt, aber geändert hat sich fast gar nichts. Den Managern der Großindustrie, Banken, Versicherungen, Discounter und sonstigen Unternehmen geht es nur ums Geld und die Menschen die das erwirtschaften, bleiben auf der Strecke. Der Kapitalismus ist wohl fast nicht mehr zu steigern. Der Kommunismus wollte den Kapitalismus besiegen und ist gescheitert. Der Kapitalismus wird auch scheitern, wenn er so weiter macht.

An dieser Stelle sollten wir noch eben die Börse beurteilen. Da sind Menschen, die mit dem Geld anderer Leute spekulieren. An der Börse werden Gewinne und auch Verluste gemacht. Wofür das gut sein soll, kann man nur den Teufel fragen! Denn der kann das nur erfunden haben.

Was es noch zu erwähnen gibt: Manager, Bänker und Solche die Millionen bzw. Milliarden Euro auf ihrem Konto besitzen, haben das meiste auf Kosten anderer bekommen. Danach geht man hin und bringt die Millionen ins Ausland: Das sollte als Unterschlagung genannt werden. Dadurch geht dem Staat viel Geld verloren. Der Staat könnte heute schuldenfrei sein, wenn die Milliardäre ihr Geld in Deutschland lassen und anlegen würden. Es gehen jedes Jahr mehrere tausend Firmen pleite. Bei einem Teil der Firmen ist das nicht zu verhindern. Jedoch könnten viele Firmen vor dem Ruin gerettet werden, wenn die Chefs und Manager nicht so geldgierig wären. An dieser Stelle muss auch gesagt werden, dass es Firmen und Unternehmer gibt, die auf ihr Firmenschild schreiben könnten: „Hier gibt es nur ehrliche Menschen!" Um dieses Problem zu verstehen, gibt es noch neben der Geldgier andere Begriffe wie Habgier, Steuerhinterziehung, Schmiergeld, Bestechung und Geldwäscher. Diese Menschen haben mit Moral, Ethik, Solidarität und Gerechtigkeit nichts zu tun.

Wer von diesen Missständen mehr wissen will, sollte das Buch „Redet die Welt, schweigt die Welt" lesen. Wir können nur hoffen, dass es in der Zukunft Menschen gibt, die das dritte Programm gestartet haben und auch anwenden. Es gäbe keine Habgier und alles Schlechte, was der Wirtschaft schaden könnte, wäre ausradiert. Der Kapitalismus würde dann auch zu ertragen sein, wenn alle Menschen etwas davon hätten.

Kapitel 3 A Wirtschaft im Umbruch

Im Kapitel 3 haben wir die Wirtschaft und die Börse behandelt und festgestellt, dass die Geldgier und die Folgen dafür verantwortlich sind, dass der größte Teil der Menschheit darunter leiden muss. Die meisten Menschen denken, das kann man nicht ändern, und die das Geld haben, sagen: „Warum sollten wir das ändern!"

Um einen Umbruch herbeizuführen, müsste er schon radikal sein. Damit der Umbruch gelingen könnte, ist doch jedem klar, dass es nur ohne Geld geht. Daher wollen wir uns folgendes vorstellen:

Auf einer größeren Insel auf der ein paar Tausend Menschen leben, haben alle kein Geld. Auf der Insel müsste es zuerst mal so viel Ackerland und Energie geben, dass die Menschen dort ohne fremde Hilfe auskommen. Gehen wir davon aus, dass es auf der Insel eine Verwaltung, Schulen und vielleicht auch Kirchen geben muss. Was man nicht braucht sind Banken, Finanzämter, vielleicht noch ein paar Polizisten für den Straßenverkehr. Die Arbeit würde sich auf viel mehr Menschen verteilen. Um diesen Gedanken zu Ende zu bringen, muss man sehr viel Phantasie haben. Wie viele Menschen gibt es auf der Welt, die kein Geld besitzen und auch noch nie welches gesehen haben? Die ganze Welt ohne Geld, wer kann das glauben?

Kapitel 4 Lehrer und Ausbilder

Die Lehrer und Lehrerinnen sind für mehrere Jahre die Bezugspersonen eines jeden Menschen. Sie haben also eine große Verantwortung in der Erziehung. Besser wäre die Bezeichnung „in der Betreuung und Entwicklung" der Kinder und Jugendlichen. Normalerweise wechseln Kinder im Alter von sechs Jahren vom Kindergarten in die Schule. Zunächst sind viele Kinder schon im Alter ab drei Jahren im Kindergarten. Jedoch zeigt der Trend, dass die Kinder schon immer früher von der Mutter getrennt werden, denn die „müssen ja arbeiten".

Kindergärtnerinnen oder auch Kindergärtner können eine gute Mutter nie ersetzen. Die mütterliche (Erziehung) Betreuung fehlt den Kindern, obwohl diese (Erziehung) Betreuung die Grundlage für das Leben stellt. Also sind die Voraussetzungen für die Schule nicht sehr gut.

Nun widmen wir uns der Schule. Da die Kinder am Tag länger in der Schule sind als zu Hause, sollte die Betreuung auch ein großer Bestandteil der Aufgabenfelder der Lehrkräfte sein. Was genauso wichtig ist, dass die Lehrer und Lehrerinnen, sowie die Ausbilder, den Kindern gute Vorbilder sein sollten. Doch was muss man feststellen: es gibt keine Vorbilder, also keine gute Betreuung. Die Kinder müssen sehen, wie sie alleine durchkommen. Hier stellen wir fest und müssen uns wiederholen, dass die Lehrkräfte und Ausbilder das dritte Programm nicht am Laufen haben und somit nicht erwachsen sind. Das heißt, sie sind auch noch Kinder oder Jugendliche, sie denken wie Kinder und Jugendliche.

Kapitel 5 Fernsehen und Menschen

Untersuchen wir heute die Menschen, die den größten Einfluss auf die Menschheit der ganzen Welt haben. Es ist schon ungeheuerlich, dass so was möglich ist. Gleich zu Anfang ist festzustellen, dass diese Leute kein drittes Programm benutzen, daher kann man sagen, es sind Jugendliche oder auch Kinder, egal in was für einem Alter sie sind, die fürs Fernsehen verantwortlich sind.

Es gibt fast gar nichts, was das Fernsehen an Positiven der Menschheit gebracht hat, im Gegenteil, schlechter und primitiver geht es nicht. Sehen wir heute uns die Menschen an, vom Kopf bis hin zu den Schuhen, Haare, Kleidung und Schuhwerk, bei vielen muss man wegsehen. Bei manchen denkt man „armer Hund``, dann gibt es doch noch ein paar, die noch einen guten Geschmack besitzen. Diese Entwicklung ist auch durch das Fernsehen nur möglich geworden.

Die Damen und Herren, die im Fernsehen zu sehen sind, ob Angestellte vom Fernsehen oder eingeladene Gäste, sollte man nicht auf die Menschheit loslassen. Durch diese Menschen haben viele Zuschauer den guten Geschmack verloren, und dass ist der größte Teil, die dann so aussehen, dass man dann wegsehen muss! Die ganze Welt kann heute diese Geschmacklosigkeiten betrachten. Sie wollen für die anderen Vorbilder sein? Aus meiner Sicht haben sie sich nur lächerlich gemacht.

Lediglich ein kleiner Teil gibt eine gute Figur ab. Mit einem größerem Teil kann man noch leben. Wir wollen jetzt das betrachten, was das Fernsehen uns bietet. Zuerst das Allerschlimmste: Musik, die man immer zuerst hört und lauter wie die Sprache ist. Man kann davon ausgehen, dass die Musikbranche das Sagen hat. Hätte das Fernsehen von Anfang an die richtigen Leute an der Spitze gehabt, wäre höchstwahrscheinlich viel mehr Positives und

Brauchbares dabei herausgekommen. Wenn man ehrlich und auch großzügig denken will, muss man sagen, man hätte das Fernsehen besser nicht erfunden. Es wäre für die Menschheit von großem Nutzen, würde das ganze Personal vom Fernsehen, das dritte Programm benutzen, dann wäre das Ergebnis um vieles besser.

Kapitel 5 A Warum brauchen wir das Fernsehen?

Das Fernsehen hat die Menschen, besser gesagt die ganze Menschheit verändert, aber nicht zu Ihrem Vorteil. Um die Frage, warum brauchen wir Fernsehen, unabhängig zu beantworten, muss man sehr weit in die Zukunft denken, bis es dann Menschen gibt, die das dritte Programm ausführen und der Menschheit das vermitteln, womit man dann das Leben meistern oder sogar auch glücklich sein kann. Das größte Hindernis ist auch hier das Geld. Was müsste und könnte das Fernsehen für die Menschheit leisten. Die augenblickliche Lage ist die, dass es dafür keine Menschen gibt, die das könnten.

Was heißt der Menschheit helfen? Vielleicht stellen wir erst mal fest, was wir nicht vom Fernsehen brauchen. Man kann dreißig oder auch bis fünfzig Sender hintereinander einschalten und man hört zuerst Musik, die bei den meisten Übertragungen sehr störend ist. Schon vor längerer Zeit hat ein Institut (Fraunhofer Institut) fürs Fernsehen entwickelt, das man die Sprache und die Musik getrennt senden kann.

Politische Sendungen sind zum größten Teil von sehr schlechter Qualität, zu 99 % hört man nur Negatives. Es ist schon erstaunlich, dass es Menschen gibt, die sich für diese Talkreden mit den schlechten Manieren hergeben. Im Augenblick regieren in Berlin dem Fernsehen nach nicht die Regierungsparteien, sondern die Opposition. Man könnte jetzt so weiter machen und mehrere Gesellschaftsbereiche, wie Religion, Sport, Gerichte oder auch die Erziehung betrachten, es würde sich vieles wiederholen, was am Ende langweilig würde. Um auf die Frage zurück zu kommen, "Brauchen wir das Fernsehen" müsste man sagen "Ja um die vielen Fehler die es gibt, wieder ins Lot zu bringen".

Woher könnte man dann die Menschen nehmen, die das dritte
Programm für diesen Bereich ans Laufen bringt?" Im Augenblick
keine Aussicht"

Kapitel 6 Religion

Die Religion war von Anfang an, kein guter Begleiter der Menschheit. Wegen der Religion werden bis heute Kriege geführt und die Menschen bringen sich wegen der Religion gegenseitig um. Es ist anzunehmen das die, die die Religion als Grundlage Ihres Lebens haben, der festen Meinung sind, nach dem Tode das ewige Leben zu erreichen. Alle Religionen haben sich für Gott entschieden.

Bei der Suche danach wer Gott ist, hat die Menschheit nur mit sehr vielen Unterschieden belastet. Was auch viele Wissenschaftler seit längerer Zeit feststellen wollen ist, dass Gott das Universum ist. Das Universum hat man bis heute erst zu vier bis fünf Prozent erforscht, mehr oder noch weniger weiß man von Gott auch nicht. Hätte die Menschheit von Anfang an, das Universum oder die Natur als Gott angenommen, wären wir vom Paradies nicht so weit entfernt.

Alle Religionen halten an der Vergangenheit fest, aber was hat sie uns gebracht? Krieg, Leid und viele andere schlechte Eigenschaften, die mit der Religion gar nichts zu tun haben. Die Religion hat viel zu viel an Bord, wovon man das Meiste zurücklassen sollte. Hätten wir auf der Erde nur eine Religion, würde die Menschheit in Frieden und Freiheit leben.

Da wir die Vergangenheit auch schon erwähnt haben, wollen wir ein Ereignis das zweitausend Jahre zurück liegt betrachten. „Die Geburt Jesus, Sohn Gottes. Er hat zugesagt:" wer an mich glaubt, wird leben in Ewigkeit". Das ist schon fast das Einzige aus der Vergangenheit, woran festzuhalten ist.

Alle Religionen werden und wurden von Menschen geführt, die das dritte Programm nicht angewendet haben und anwenden. So ist der ganzen Menschheit, die in Frieden und Freiheit leben wollen, nicht viel geholfen.

Kapitel 6 A Religion sollte die Grundlage unseres Leben sein.

Es gibt sehr viele Menschen auf der Welt, die an gar nichts glauben, die also ohne Religion sind. Sie sagen nach dem Tode ist das Ende! Man könnte annehmen das diese Menschen sagen, die an nichts glauben und fest davon überzeugt sind, "Wenn ich Tod bin, bin ich Tod, danach gibt es nichts mehr". Der größte Teil der Gesellschaft sagt: " Die haben keine Moral und machen deshalb vieles was ein gläubiger Mensch nicht machen würde." Das ist natürlich völliger Unsinn, weil viele Verbrechen von Christen oder Gläubigen gemacht wurden und immer noch gemacht werden.

Was sagt uns das? Dass die Religion die Menschheit auf den richtigen Weg bringen sollte, aber in vielen Fällen ist es das Gegenteil. Wie sollte der Mensch sein? Der Mensch, der an Gott glaubt, ist ohne Hass, kennt keine Gewalt, auch keinen Neid. Er sollte jeden Menschen respektieren und auch wenn er in Not ist helfen. Da im Augenblick das Gegenteil der Fall ist, denn viele Menschen hassen sich und haben nur Neid auf den Anderen. Sie besitzen keinen Respekt und machen mit der Not der Anderen große Geschäfte.

Man könnte heute fast glauben, es müsste so sein, aber der Grund dafür ist der, das die meisten bzw. fast alle Menschen, nicht erwachsen sind und das dritte Programm nicht läuft. Eine andere Erklärung gibt es nicht, oder doch?

Es wäre höchstwahrscheinlich vieles besser, hätten wir auf der ganzen Erde nur eine Religion. Alles wäre auch noch einfacher, würden wir nur eine Sprache haben. Ob die Menschheit nur eine Sorte Mensch sein sollte, ist vielleicht nicht unbedingt erforderlich. Warum das so ist, müsste man, wenn er das so entschieden hat, Gott fragen, aber das geht wohl nicht!

Das Universum und auch die Menschheit, so sagen die Wissenschaftler oder wer auch immer, haben das Ende in Milliarden Jahren zu erwarten. Somit hätte die Menschheit noch lange Zeit in der Zukunft, Am besten, man fängt sofort damit an, alles in die richtigen Bahnen zu lenken. Die Hoffnung stirbt zuletzt. Vielleicht könnte Gott helfen?!?

Kapitel 7 Mode

Es gibt heute noch Naturvölker, für die das Schamgefühl fremd ist und sie deshalb keine Mode bzw. Kleidung brauchen. Alle anderen Menschen haben ein Schamgefühl und ziehen deshalb etwas an. Der größte Teil dieser Menschen kommt ohne Mode aus. Was für ein Glück. Es gibt auch noch Menschen, die glauben, dass sie kein Schamgefühl brauchen, das ist in Wirklichkeit geschmacklos.

Die Kleidung wird aus verschiedenen Materialien hergestellt. Die Textilien werden meistens von Schneiderinnen gefertigt und verschiedene Teile auch von Maschinen. Wenn wir in Europa und Amerika normale Menschen mit einem gesunden Menschenverstand hätten, wäre natürlich vieles anders.

Wir sind ja bei dem Thema Mode und da gehören natürlich auch die Modeschöpfer dazu. Wenn sie das dritte Programm benutzen würden, wäre das Ergebnis wohl zu gebrauchen. Aktuell sollten wir aber auf ihre Ratschläge verzichten. Sehr viele Menschen, auch die Jugendlichen, richten ihr Aussehen nur noch nach dem der Anderen und richten sich sehr viel nach dem Fernsehen.

Eine eigene Note nehmen viele nicht mehr in Anspruch, deshalb ist der gute Geschmack und auch das gute Benehmen verloren gegangen. Viele Menschen haben durch diese Entwicklung, Minderwertigkeitsgefühle bekommen und auch ihr Selbstbewusstsein verloren. Diese Menschen, die glauben so geschmacklos aussehen zu müssen, leisten keine Hilfe zum Ansehen unserer Gesellschaft in der Welt. Die Aussichten, dass es mal besser wird, sind sehr gering. Würden die Modemacher, Frisöre und auch die Schuhindustrie das dritte Programm anwenden, gäbe es wieder Hoffnung. Dann könnte unsere Gesellschaft auch wieder einen Vorbildcharakter entwickeln.

Kapitel 7 A Ohne Mode wäre vieles besser

Was heißt hier besser! Erstens, die meisten Menschen sind ohne guten Geschmack und die Optik muss auch kaputt sein. Diese Einstellung kostet der Menschheit so viel Geld, damit könnte man die Weltbevölkerung zweimal ernähren. Man kann davon ausgehen, dass die ersten Menschen nackt waren. Es ist höchst wahrscheinlich auch so gewesen, dass der Körper mit sehr vielen Haaren bewachsen war, um nicht zu erfrieren. Bei vielen Tieren ist das heute noch so. Wäre das heute noch so, es wäre denkbar, dass es keine Modeschöpfer und Friseure gebe, aber was an den Füßen und auf dem Kopf könnte man sich schon vorstellen. Aus welchem Grund auch immer, die Menschen haben ihre Haare zum größten Teil verloren und mussten darum ihren Körper mit was anderem bedecken.

Was man von damals bis heute dafür gebraucht hat, gibt uns die Natur. Im Augenblick versuchen viele Frauen mit so wenig wie möglich, aus zu kommen. Männer und Frauen lassen sich die Haare immer mehr und auch länger wachsen, ob das zur Schönheit helfen soll? Man kann auch sagen von der Schönheit haben die meisten keine Ahnung und der gute Geschmack ist völlig verloren gegangen. Würde die Menschheit, aus welchen Gründen auch immer, nichts zum Anziehen haben und müsste Nackt, also ohne Kleidung auskommen, das wäre doch wohl eine Katastrophe. Vielleicht würde man frieren, aber viel schlimmer ist der Anblick der Menschen.

Aber was der Mensch zum Anziehen braucht, kann besorgt werden auch für Menschen mit wenig oder keinem Geld. Es ist heute so, dass viele Menschen fast auf der ganzen Welt mit einem Lendenschurz besser aussehen würden als das was sie jetzt darstellen. Wie kann man so was verstehen, dass ein "erwachsener

Mensch" glaubt er wäre "erwachsen". Man kann davon ausgehen, dass diese Menschen nicht Jugendliche, sondern eher Kinder
sind. Hier kann man festhalten das, dass dritte Programm keiner
eingeschaltet hat.

Kapitel 8 Musik

Die Musik sollte und könnte den Menschen im Leben etwas Freude machen, wenn man das nur für den Zeitvertreib anlegen würde.

Die einzigen Gründe aber, Musik zu machen, sind Geld zu verdienen und berühmt zu werden. Solange viele Menschen in jedem Alter so viel Musik stundenlang hören, wird es so weiter gehen: Mit lauter Musik sich hinstellen. Hauptsache laut - das kann jeder! Hauptsache es gibt Geld dafür. Viele Leute gehen auch nur wegen dem Interpreten hin, zu sehen wie gut er sich auf der Bühne darstellt. Was auch ein Fehler ist. Alle, die Musik machen, fragen nur, wie waren wir, und nicht, wie hat sich das angehört. Eigentlich müsste die Musikbranche für die Hörgeschädigten aufkommen.

Bei den meisten Komponisten kommt an erster Stelle die Masse, jeden Tag ein Titel zu produzieren, das bringt Geld. Dann erst kommt die Musik. Die meisten in dieser Branche stehen unter Zeitdruck und sind vielleicht auch von schlechten Gefühlen belastet, die man bei dieser Arbeit nicht haben sollte.

Wenn man heute die Situation der Musik betrachtet, ist es so, dass die Musik die Menschen beherrscht, umgekehrt sollte es sein.

Kinder, Jugendliche und auch Erwachsene hören den ganzen Tag Musik, da geht sehr viel Zeit verloren. Die Kinder brauchen mehr Zeit zum Lernen, die Jugendlichen um erwachsen zu werden, die Erwachsenen würden sich besser mal mit Mitmenschen unterhalten.

Eigentlich müsste es ja so sein, die Kinder hören solche Musik, die Jugendlichen eine Andere und die Erwachsenen wieder ganz was anderes, aber heute hören alle das gleiche: Viel schlechte Musik.

Was man noch erwähnen sollte: schaltet man das Fernsehen an, was sieht und hört man? Als erstes sieht man nichts, aber man hört Musik. Nehmen wir an, die Texter die Notenschreiber und die Musikinterpreten hätten das dritte Programm in Betrieb, es gäbe nur halb so viel Musik und auch solche, die man sich anhören kann. Durch die Musik lässt sich auch leicht feststellen, wer Erwachsen ist und auch nicht.

Kapitel 8 A Musik die keiner braucht

In Kapitel 8 ist eigentlich über Musik alles gesagt worden. Wir wollen noch einmal über Musik schreiben um zu verstehen, warum die Menschen von Kind an bis ins hohe Alter Musik anhören. Sagen wir "Musik, die gar keine ist".

Warum gar keine? Musik sollte einen annehmbaren Text und auch eine Melodie und Rhythmus beinhalten. Der größte Teil der Musik heute ist ohne Anspruch zu bezeichnen, stellen wir uns die Frage, "Warum gibt es so viele Menschen, die glauben was besseres gibt es nicht". Man könnte noch versuchen zu erklären warum die Kinder, Jugendliche, das Mittelalter und auch ältere Menschen sich damit die Zeit vertreiben. Bei diesen Menschen ist der Anspruch an die Musik sehr gering und deshalb ist der Text und Melodie nicht so wichtig.

Wie ist diese Entwicklung entstanden? Es gab vor dreißig und auch vierzig Jahren einen Amerikaner und vier Engländer, die eine ganz andere Art von Musik entwickelten. Diese Musik hörten am Anfang nur junge Leute und für die war sie auch ganz gut. Die Jugendlichen von damals sind heute alte Leute und hören mit Begeisterung immer noch solche oder auch ähnliche Musik, die aber immer schlechter wurde. Das ist auch ein Beweis, dass diese Menschen nicht erwachsen sind, das dritte Programm ist abgeschaltet.

Eine Schriftstellerin, die den Nobelpreis erhalten hat, hat in Tier-Büchern geschrieben, "die Welt ist ein Irrenhaus" Besser kann man die augenblickliche Lage nicht beschreiben und die Musikbranche hat daran einen großen Anteil.

Kapitel 9 Sport - wenn es darum geht, nur Geld zu verdienen

Sehr viele Menschen, Kinder, Jugendliche und Erwachsene machen bis ins hohe Alter Sport. Um gesund zu bleiben hat man vielleicht schon vor tausend Jahren Sport betrieben. Es war vielleicht auch schon so, dass man damit Spaß und Freude hatte.

Vor mehr als hundert Jahren genau 1896 wurden die Olympischen Spiele ins Leben gerufen und auch der Fußball ist in dieser Zeit entstanden. Zu der damaligen Zeit, bis zum zweiten Weltkrieg, hat man Sport gemacht, um den Körper zu ertüchtigen, um gesund zu bleiben und vielleicht auch noch Spaß zu haben.

Heute heißt das nicht mehr Sport, sondern Wettkämpfe. Jeder will der Beste sein, egal wie, erlaubt ist alles, am Ende geht es ja nur ums Geld. Seitdem es Fernsehen gibt, ist der Sport das größte Unternehmen der Welt geworden. Das Fernsehen hat bei dieser schlechten Entwicklung den größten Anteil. In großen Unternehmen gibt es Manager und Funktionäre und im Sport jetzt auch. Viele Sportler haben ihren eigenen Manager und verdienen deshalb auch wie die Manager mehrere Millionen im Jahr.

Wie viele Millionen ist heute ein Mensch wert? Diese Entwicklung hat mit Sport nicht mehr viel zu tun. Es gibt in unserer Gesellschaft ein Wort das der Allgemeinheit sehr bekannt ist. Man sagt, das sind alles Geldhaie „Hoch lebe der Kapitalismus". Dass die Wettkämpfe, die man heute ausübt und die auch großen Schaden anrichten, sehr viele Verletzte und auch Invaliden zur Folge hat, sagt niemand.

Man kann davon ausgehen, dass sich nichts ändern wird, wahrscheinlich wird es noch schlimmer, solange das Fernsehen und die Zuschauer das viele Geld aufbringen. Wenn morgen die Manager,

Sportler und auch die Konsumenten das dritte Programm einschalten, wäre Sport wieder Sport.

Kapitel 9 A Sport, der kein Sport mehr ist!

Im Kapitel 9 ist so ziemlich alles was man über Sport schreiben kann, zu lesen. Trotzdem gibt es immer noch Ereignisse, die es in sich haben. Es ist wohl so, dass in der heutigen Zeit, wo Manager sind und arbeiten, die meisten Ergebnisse Betrug sind.

Womit wir jetzt zu tun haben, sind der Profifußball und der Motorsport. Es stellt sich die Frage, gibt es noch Schlimmeres? Den größten Anteil an dieser Entwicklung hat wohl das Fernsehen. Das Fernsehen müssen wir nicht weiter beschreiben, das haben wir schon festgestellt, was für ein großes Übel es ist. Was sind das für Menschen denen jede Ehrlichkeit verloren gegangen ist?

Man kann schon sagen der Leistungssport wird vom Geld beherrscht und deshalb ist es auch kein Sport mehr sondern nur Unterhaltung. Wie viele Menschen, Kinder, Jugendliche und hauptsächlich Erwachsene geben sich für ein paar Jahre in die Hände der Manager und in dieser Zeit sind sie eine Ware, die man auch kaufen und auch verkaufen kann.

Das größte was ein Mensch besitzt, ist die Gesundheit und die Freiheit. Die Gesundheit ist für alle Menschen immer in Gefahr, die Freiheit gibt ein Mensch nicht so schnell freiwillig ab. So betrachtet ist nicht der Mensch das Wichtigste, sondern das Geld. Wie in allen Bereichen fehlen hier Menschen die erwachsen sind. Wie gesagt, das dritte Programm wird nicht benutzt.

Kapitel 10 Reporter u. Schriftsteller

Es ist schon lange her, dass die Schrift erfunden wurde, alles was wichtig und interessant war, ist für die Zukunft aufgeschrieben worden. Bis wann haben die, die was aufgeschrieben haben ehrlich und richtig gearbeitet? Was haben wir Heute? Autoren, die Bücher schreiben, die man lesen kann oder auch nicht.

Es gibt auch Reporter, die für Zeitschriften, Zeitungen und das Fernsehen ihren Beruf ausüben. Würden diese Leute ihren Beruf ernst nehmen, sollte man annehmen, dass das was sie veröffentlichen, die reine Wahrheit ist. Aber in den Zeitschriften und Zeitungen wäre dann die Hälfte genug.

Manche Veröffentlichung hat den Menschen große Probleme gemacht und am Ende kam nichts heraus. Vor noch nicht langer Zeit, wurde durch einen Reporter, ein Mensch, der das höchste Amt im Staate inne hatte, vor Gericht gezerrt. Das hat den Steuerzahler viel Geld gekostet und kostet es immer noch. Hätte dieser Reporter das dritte Programm eingeschaltet, wäre ihm das nicht passiert. Man könnte wohl ein ganzes Buch füllen mit solchen Beispielen.

Im Fernsehen ist die Auswirkung von allen Leuten, die mit Veröffentlichung zu tun haben, auf die Zuschauer noch viel schlimmer. Würden diese Menschen das dritte Programm einschalten, dann könnte keiner mehr sagen, was in der Zeitung steht, kann man doch nicht mehr glauben. Die Glaubhaftigkeit würde wieder ein fester Bestandteil in unserer Gesellschaft sein, das Leben hätte für viele Menschen wieder einen Sinn.

Kapitel: 10 A Wo gibt es glaubwürdige Reporter

Wir haben in Kapitel 10 auch die Schriftsteller ausreichend einbezogen. Sie können schreiben was sie wollen, man braucht es ja nicht zu lesen. Bei den Reporten ist das ja anders, die berichten im Fernsehen, in Zeitungen oder Illustrierten über das Neuste vom Tage und das ist oft zum Hinhören und zu Lesen die Zeit nicht wert. Die Reporter im Inland sind ja so zahlreich, da braucht man keine Angst zu haben, dass alle einer Meinung sein könnten. Wenn aber nach einer Pressekonferenz oder Anhörung von Politikern, der Wirtschaft, egal welcher Couleur, das Wesentliche immer ist, dass man über das Negative ob wahr oder unwahr, berichtet.

Wenn sich Menschen über Zeitungen oder sonstige Schriften unterhalten, wird oft gesagt," Was die schreiben! Da ist das meiste nicht wahr!" Es gibt höchst wahrscheinlich viel zu viele Reporter und Berichterstatter. Bei weniger könnte es besser werden. Jetzt und auch in naher Zukunft wird sich nichts ändern. Inzwischen ist mit „Fake News" ein Höhepunkt der Krise der Glaubwürdigkeit erreicht. Eine Verbesserung ist nur dann zu erwarten, wenn die Kinder richtig betreut und sie dann Erwachsenwerden, das dritte Programm zu benutzen. Den Reportern und Berichterstattern sollte man auf die Stirn schreiben, „Die Wahrheit und nichts als die Wahrheit!"

Kapitel 11 Menschheit im Ganzen

Viele Menschen haben ihre Natürlichkeit noch behalten, das heißt nicht, dass sie das dritte Programm am Laufen hätten, möglich wäre das schon. Weil sie zu arm sind und kein Fernsehen und viele andere Dinge besitzen.

Dann sind die anderen Menschen falsch orientiert oder fehl entwickelt, das heißt, sie sind erwachsen und doch nicht erwachsen, sie sind wie Kinder oder Jugendliche geblieben und so verhalten sie sich auch.

Im Nahen Osten werden unschuldige Menschen, die höchst wahrscheinlich nie eine Waffe in der Hand hatten, geköpft, aufgehängt oder bei lebendigem Leibe verbrannt. Menschen, die das machen, sind keine Menschen. Diese Menschen, die für diese Entwicklung verantwortlich sind, haben ganz sicherlich das dritte Programm nicht eingeschaltet und sind daher vom Geist wie ein Kind, vielleicht auch noch Jugendlicher zu behandeln.

In unserem Staate kann man auch sehr viele Menschen, wie Rechts- oder Linksradikale oder deren Anhänger nicht zu den Erwachsenen zählen. Diese Entwicklung ist nur möglich, da es Menschen gibt, die von Geburt an kein gutes Verhältnis zu anderen Menschen hatten und deshalb ihnen vollständig egal ist was mit anderen Menschen geschieht, auch wenn sie auf brutale Weise umgebracht werden.

Die augenblickliche Lage ist so: Grausamer kann es nicht mehr gehen. Man kann davon ausgehen, dass fast die ganze Menschheit die Grausamkeit mitbekommt, die von ein paar Hundert Menschen ohne Verstand (Idioten) zu verantworten ist. Es ist auch in diesem Zusammenhang festzuhalten, dass es sehr viele Menschen gibt, die mit roher Gewalt aufeinander losgehen (Chaoten), die es bei uns und praktisch auf der ganzen Welt gibt (fast nach jedem Fußballspiel). Diese Menschen sind ganz sicher nicht Erwachsen und haben das dritte Programm bestimmt nicht am Laufen. Sie denken und handeln wie Kinder. Wir wollen uns vorstellen, die ganze Menschheit hätte das dritte Programm am Laufen und würden sich dann wie erwachsene Menschen verhalten. An dieser Stelle wollen wir an die vier Herren denken und hoffen das dann sicher keine Kriege und Gewalt unter den Menschen mehr stattfindet.

Kapitel 12 Die augenblickliche Lage

Wir sind im April 2015 und die halbe Menschheit lebt in Angst und Schrecken. Um am Ende das Ganze zu verstehen, sollten wir die Unterschiede der einzelnen Länder betrachten.

Fangen wir mit der Weltmacht Amerika an. Die Amerikaner glauben, besser gesagt: "Sie möchten ein freies Land sein." Wenn mehr als die Hälfte der Bevölkerung meint, sie müssten mit einem Gewehr oder einer Pistole durch die Gegend laufen, dann kann das kein freies Land sein.

Betrachten wir das Land mit den meisten Menschen auf unserer Erde. In China leben ca. ein Fünftel unser Weltbevölkerung. Das heißt ein Fünftel der Menschen leben nicht in Freiheit. Dort regiert schon lange nur eine Partei, wer sich denen in den Weg stellt landet im Gefängnis.

Wo der einzelne Mensch nichts mehr zählt, ist Nordkorea. Was in Afrika oder im mittleren Osten im Augenblick passiert, ist nicht mehr zu verstehen.

Es ist aber auch bei uns in Europa noch gar nicht so lange her, als sich Menschen gleicher Nation, die Katholiken und Protestanten gegenseitig umgebracht haben.

Als normaler Mensch kann man sowas nicht verstehen, nicht begreifen und muss es auf schärfste verurteilen. Wieso gibt es so viele Menschen, die ihre Mitmenschen verachten, missbrauchen und am Ende auch töten. Was sind die Gründe umso ein Mensch zu werden?

Wenn man mit der Geburt anfängt, kann man davon ausgehen, dass diese als Kinder höchstwahrscheinlich eine sehr schlechte oder auch gar keine Betreuung hatten. Dieses Thema ist schon im

Kapitel 1 angesprochen, wir müssen aber noch mal darauf zurückkommen. Unsere Generation, also die, die nach dem zweiten Weltkrieg groß geworden sind, haben damit schon angefangen die Kinder sich selbst zu überlassen.

Die Generationen nach uns bis heute, haben die Betreuung ganz aufgegeben oder auch Fremden überlassen. Was dabei herauskommt, ist doch sehr erschreckend!

Seit einiger Zeit, gibt es Kindergärtnerinnen und auch schon Männer in diesem Beruf. Im Prinzip werden die Kinder im Kindergarten doch nur verwahrt. Seit ein paar Jahren gibt es auch eine Kita als Kindergarten von eins bis drei Jahre. Warum ist das so?

Der Staat macht sogar Gesetze, damit er die Kinder, so kann man es ruhig sagen, den Eltern „wegnehmen" kann, weil man meint, so ist es besser. Welche Mutter oder auch Vater weiß, wie man Kinder betreut? Außerdem müssen die Mütter auch Geld verdienen. Was müsste man machen? Die jungen Frauen müssten eine Ausbildung zum Betreuen machen und dann, wenn Kinder da sind vom Staat kein Kindergeld, sondern einen Lohn erhalten. Soviel, als wenn sie arbeiten gingen.

Nun wollen wir versuchen zu erklären: Wie soll ein Kind betreut werden! Von der ersten Minute an sollte ein Kind nie ohne Mutter oder Vater sein. Was ist, wenn das Kind aus dem Schlaf aufwacht und ein Bedürfnis hat und keiner ist da? In der Natur, also bei den Tieren, kommt sowas nicht vor. Dieses Beispiel zeigt uns, wie wir Menschen die Betreuung unserer Kinder durchzuführen haben. So muss man feststellen: Alles wird verkehrt gemacht.

Kinder werden irgendwann mal Jugendlicher und normalerweise dann Erwachsen (vielleicht) und damit fängt der „Ernst des Lebens" an. Da die meisten Jugendlichen keine bzw. eine schlechte

Betreuung hatten, sind sie meistens orientierungslos. Diese Entwicklung wird heute durch das Fernsehen, Computer und die anderen Medien-Geräte noch weiter verstärkt. Es müsste eigentlich umgekehrt sein. Daher werden die Jugendlichen diese schlechte Einstellung zum Leben fortsetzen, weil sie ihre Entwicklung zum Erwachsenwerden abgestellt haben.

Betrachten wir die Menschen die vom Körper her erwachsen sind, kann man, nein man muss sogar sagen, die sind in den Kinderschuhen sitzen geblieben. Wie viele Menschen gibt es wohl, die in Erwachsenen Schuhen rumlaufen? Wenn man Optimist ist, vielleicht eine Handvoll und wenn nicht überhaupt keine. Das heißt das dritte Programm ist nicht anwendbar, es muss einen Grund, höchstwahrscheinlich auch mehrere geben, die es verhindern das die Menschen Erwachsenwerden. Fast könnte man meinen, dass ist der Normalzustand, wenn es da nicht in der Vergangenheit und auch noch heute, ein paar Menschen gegeben hätte, die das Erwachsen sein gelebt haben.

Kapitel 13: Die Besserung Wann?

Im Kapitel eins ist die Familie behandelt worden. Um die Besserung zu erfassen, müssen wir erstmal feststellen, wie schlecht sich heute die Familie darstellt. Es gibt noch ein paar junge Mädchen und Jungen, die sich "Trauen" lassen. Der größte Teil davon nur standesamtlich, und vielleicht die Hälfte auch kirchlich. Die Hälfte davon lässt sich nach nur ein paar Jahren wieder scheiden.

Ein großer Teil der jungen Menschen, versucht es auch ohne Trauung, das funktioniert genau so wenig. Was sagt uns das? Die Familie ist ein Auslaufmodell, und warum? Vielleicht wäre eine Kommune die Lösung, mit bis zu zehn oder auch mehr jungen Frauen, die sich die Männer (vielleicht kommen sie auch mit einem aus) nehmen. Heute ist das auch ganz leicht zu bewerkstelligen. In der Natur ist beides zu beobachten.

Die Kinder bleiben oft oder immer auf der Strecke. Was muss sich also ändern? Die Familie muss wieder an die erste Stelle in unserer Gesellschaft rücken. Die Grundlage dafür ist, die Betreuung der Kinder, so dass sie für immer das dritte Programm also "Erwachsenwerden" erlernen. Mit Erwachsenen Menschen wird in der Zukunft die Familie auch wieder den richtigen Platz in der Gesellschaft haben. Wenn das sofort in Angriff genommen würde, würde es trotzdem noch sehr lange dauern bis das man sagen kann, "Jetzt sind wir auf dem richtigen Weg." Es ist möglich, das in diesem Kapitel Wiederholungen von Kapitel 1 + 1a sind, das muss aber sein, um festzustellen wie wichtig das ist.

Kapitel 14 Wie kann man Erwachsenwerden.

In Kapitel 4 sind die Lehrkräfte und Ausbilder behandelt worden. Wir haben festgestellt das die Schulen und Ausbildungsstätten nicht in der Lage sind, so zu betreuen, dass die Kinder und Jugendlichen Erwachsenwerden.

Die Elektronik wie Fernsehen, Computer und so weiter sind auch ein Grund, das wir ohne Erwachsene auskommen müssen. Das schlechte Ergebnis in der Politik und der Wirtschaft auf unserer Erde ist jeden Tag und jede Stunde im Fernsehen und der Zeitung zu erfahren.

Jetzt wollen wir fragen, wie wird man Erwachsen? Von der Geburt an ist das ja vorgesehen, aber wir Menschen sind wohl zu dumm, dass es ohne Erwachsene nicht besser werden kann. Hier nochmal in der Wiederholung: "Die Natur zeigt uns wie man es macht." Seit dreißig oder auch schon seit fünfzig Jahren glauben die Eltern, hauptsächlich die Mütter, dass die Kinder ohne Betreuung auskommen. Der Hauptgrund ist wohl der, dass die Mütter Geld verdienen müssen. Um ein Kind auf die Zukunft vorzubereiten, braucht es jede Minute bis zum sechsten Lebensjahr eine Mutter und keine fremden Leute. Das würde dem Staat immer noch billiger werden als das was wir heute haben.

Betrachtung:

Über eine Funktion im Gehirn, dem Speicher. Jeder Mensch weiß, dass jeder Computer eine Festplatte für die Programme und einen Speicher hat, wo alles gespeichert wird. In diesem Speicher kann man einen Teil oder auch alles löschen, wenn er voll ist, um dann wider neues eingeben zu können. Besser geht es wohl nicht!

Um auf den Kern der Betrachtung zu kommen, haben wir doch festgestellt, dass der Mensch auch eine Festplatte und einen Speicher besitzt. Unser Speicher im Kopf ist natürlich ganz anders, wie der im Computer. Manche Ereignisse behält man bis zum Tode. Andere, nicht so wichtige gehen nach einer kurzen Zeit verloren, mit Hilfe von Verwandten und Freunden, lässt sich auch manches wieder zurückholen.

Es kommt schon mal vor, dass man sich etwas, was auch immer, aufschreibt. Sowas lässt sich auch manchmal, wieder leichter zurückholen. Es soll auf unserem Planeten ein paar Menschen geben, die das ganze Leben im Kopf haben und sich auch in jeder Minute daran erinnern können. Wenn das der Wahrheit entspricht, sollte man davon ausgehen, dass der Speicher nicht nur für das Leben auf der Erde vorgesehen ist, sondern auch nach dem Tode gebraucht wird. Man hat angeblich auch schon festgestellt, dass nach dem Tod der Körper 80 Gramm weniger wiegt, ob das nicht der Speicher ist?

Sollte dass der Fall sein, können alle Menschen nach dem Tode sich an jede Minute ihres Erdenlebens erinnern.

Was über den Speicher in unserem Gehirn noch zu berichtigen ist: "Die Demenz" wovon immer mehr Menschen befallen sind. Die Menschen werden immer älter, man sagt alle vier Jahre ein Jahr mehr. Dadurch nimmt diese Krankheit ständig zu und was sehr schlimm ist, dass man im Augenblick nichts dagegen tun kann. Über den Speicher im Computer wissen wir Bescheid. Über unseren Speicher im Gehirn wissen wir zu wenig. Im hohem Alter merken wir, das nicht mehr alles gespeichert wird! Es gibt aber auch hier große Unterschiede. Es gibt auf unserer Erde nichts komplizierteres als das Gehirn des Menschen und trotzdem kann man sagen, es macht viel zu viele Fehler, es ist wohl zu klein.

Zum Schluss ein Spruch, den es höchstwahrscheinlich schon lange gibt: "Aus Fehlern kann man lernen" In der heutigen Zeit muss das nicht mehr gelten.

Kapitel 15 Zum Abschluss wer hat das geschrieben?

Wenn Sie bis hierhin gelesen haben und den Abschluss noch nicht, könnte es sein, dass sie sich öfter gefragt haben: Wer ist der Mensch, der so einen Unsinn schreibt? Oder Sie kommen am Ende dazu festzustellen: "So ist es"!

Ich heiße Heinrich Zwinge, bin am 28. Mai 1936 in Oberschlesien geboren. Meine Eltern hatten dort eine Landwirtschaft, nachdem sie 1929 aus der Warburger Börde nach Paulsdorf im Kreis Rosenberg in Oberschlesien ausgesiedelt waren. Am 18. Januar 1945 flüchteten wir mit zwei Pferden und einem Bollerwagen in Richtung Westen. Am 9. Mai 1945 kamen wir in Warburg an. In Oberschlesien bin ich von 1942 bis zur Flucht in die Volksschule gegangen. Vom Herbst 1945 an ging ich in Dössel Kreis Warburg in die Volksschule. Im Sommer 1950 war mein letzter Schultag und im August kam ich in die Lehre. Ich lernte Huf- und Wagenschmied und machte im Frühjahr 1953 die Prüfung. Im Frühjahr 1954 fuhr ich nach Köln und arbeitete da in mehreren Firmen bis 1961 als Bauschlosser, heute heißt das Metallbauer. 1961 zogen wir, meine Frau Mathilde und ein Sohn nach Bergneustadt. 1966 habe ich die Meisterprüfung bestanden und mich dann anschließend als Schlossermeister selbstständig gemacht. 1998 habe ich die Firma an meine vier Söhne übergeben und war praktisch von da an Rentner.

Dieses Buch widme ich meiner Frau Mathilde Zwinge, die sich um unsere Kinder im Sinne des „Dritten Programms" immer gekümmert hat und meistens die Last allein tragen musste. Gleichzeitig hat sie mich auch noch beim Ausbau unserer Firma unterstützt und steht mir am Ende eines über 50 Jahre langen gemeinsamen Lebensweges immer noch zur Seite.

2001 fing ich Sonntagmorgens an zu schreiben, zuerst auf Papier, seit ein paar Jahren direkt in den Computer und auch zu jeder Zeit, so wie es gerade passte. Da sie jetzt mehr oder weniger wissen, wer ich bin, will ich zum Schluss festhalten, Schriftsteller war ich nie und werde es auch jetzt wohl nicht mehr werden.